# Dernières nouvelles des trous noirs

## Les livres de Stephen Hawking

*Une brève histoire du temps*
*Trous noirs et bébés univers*
*L'Univers dans une coquille de noix*
*Petite histoire de l'Univers :*
*du Big Bang à la fin du monde*
*La Brève Histoire de ma vie*

Avec Leonard Mlodinow :

*Une belle histoire du temps*
*Y a-t-il un grand architecte dans l'Univers ?*

Avec Lucy Hawking :

*Georges et les Secrets de l'Univers*
*Georges et les Trésors du cosmos*
*Georges et le Big Bang*
*Georges et le Code secret*

Stephen Hawking

# Dernières nouvelles des trous noirs

*Avec une introduction et des notes de David Shukman*

*Traduit de l'anglais (Royaume-Uni) par Sophie Lem*

Flammarion

L'ouvrage original a paru en 2016 sous le titre *Black Holes : The Reith Lectures* aux éditions Transworld Publishers, a division of The Random House Group Ltd.
« Les trous noirs sont-ils vraiment chauves ? » a été diffusé pour la première fois sur BBC Radio 4 le 26 janvier 2016, et « Les trous noirs ne sont pas aussi noirs qu'on le dit » le 2 février 2016.


Les illustrations de l'ouvrage ont été réalisées par Cognitive (wearecognitive.com) pour BBC Radio 4.


ISBN : 978-2-0813-9473-5

# INTRODUCTION

Chez Stephen Hawking, tout est source de fascination : la détresse d'un génie emprisonné dans un corps souffrant ; la trace d'un sourire qui éclaire un visage dont un seul muscle peut encore bouger ; la voix robotisée reconnaissable entre toutes qui nous invite à parcourir les endroits les plus improbables de l'Univers et à partager l'ivresse de la découverte.

Contre vents et marées, ce personnage remarquable a transcendé les limites habituelles de la science. Son livre, *Une brève histoire du temps*, a atteint le chiffre stupéfiant de dix millions d'exemplaires vendus. Des apparitions dans des séries grand public, des invitations à la Maison-Blanche et un film biographique ont encore accru sa popularité.

Stephen Hawking est devenu rien moins que le scientifique le plus célèbre au monde. Dans les années 1960, lorsqu'on diagnostiqua sa maladie neurologique, on lui donnait deux ans à vivre. Plus d'un demi-siècle après, il poursuit ses recherches, écrit, voyage et fait régulièrement parler de lui dans la presse. Sa fille Lucy attribue cet allant extraordinaire à un caractère « incroyablement têtu ».

Que ce soit par le biais de son histoire personnelle ou celui de son habileté à susciter l'enthousiasme, Hawking capture l'imagination. Un article récent, qui reprenait ses propos sur les désastres engendrés par l'homme – du réchauffement global aux virus artificiellement créés – a été la page la plus lue ce jour-là sur le site de la BBC.

Par une terrible ironie du sort, ce grand communicateur ne peut tenir une conversation normale. Les questions posées lors d'une interview doivent être envoyées à l'avance.

Il y a quelques années, son équipe m'avait demandé d'éviter les questions de convenance, m'expliquant que même les réponses les plus brèves prenaient beaucoup de temps à être composées. Pris par l'excitation du moment, un « Comment allez-vous ? » m'échappa. Penaud, je dus attendre sa réponse : il allait bien.

Dans son bureau à Cambridge, un tableau est couvert d'équations. Les calculs mathématiques les plus recherchés sont le pain quotidien de la cosmologie. La contribution unique de Stephen Hawking à la recherche scientifique consiste toutefois à exploiter les approches de domaines de spécialité apparemment très éloignés : il a notamment été l'un des premiers à explorer la vastitude de l'espace en utilisant les techniques scientifiques conçues pour étudier l'infiniment petit, les atomes et leurs particules.

Au vu de la complexité diabolique de leur spécialité, ses collègues craignent parfois qu'il ne soit pas possible de rendre intelligibles leurs travaux au grand public. Là aussi, les efforts accomplis par Hawking pour toucher une plus large audience constituent sa marque de fabrique. Pour les Reith Lectures de la BBC, il a réussi l'exploit de résumer le travail d'une vie sur les trous noirs en deux conférences de quinze minutes. Pour ceux qui seraient curieux, mais perplexes, ou encore captivés par les idées, mais effrayés par les notions scientifiques, j'ai ajouté des notes aux endroits clés pour offrir quelques repères.

David Shukman
Rédacteur en chef de la section scientifique
de BBC News

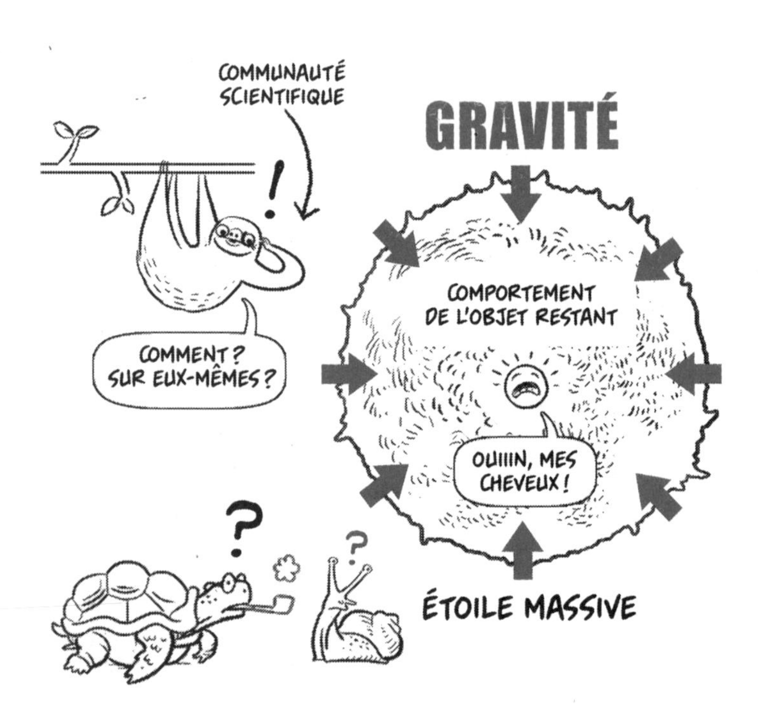
COMMUNAUTÉ SCIENTIFIQUE
!
COMMENT ? SUR EUX-MÊMES ?
GRAVITÉ
COMPORTEMENT DE L'OBJET RESTANT
OUIIIN, MES CHEVEUX !
?
?
ÉTOILE MASSIVE

# LES TROUS NOIRS SONT-ILS VRAIMENT CHAUVES ?

S.H. On dit que la réalité dépasse parfois la fiction, et rien n'est plus vrai dans le cas des trous noirs. Les trous noirs sont plus étranges que tout ce que les auteurs de science-fiction ont pu imaginer, mais ils sont aussi, sans l'ombre d'un doute, une réalité scientifique. La communauté des chercheurs a mis longtemps avant de comprendre que des étoiles massives pouvaient s'effondrer sur elles-mêmes sous l'effet de leur propre gravité, et elle a tardé à étudier le comportement des

**objets qui résultaient de cet effondrement.**
**En 1939, Albert Einstein écrivit même un article dans lequel il affirmait que les étoiles ne pouvaient s'effondrer sous l'effet de la gravité, la matière ne pouvant être compressée au-delà d'un certain point. Plusieurs scientifiques partageaient la conviction d'Einstein, à l'exception notable du physicien américain John Wheeler, le héros de l'histoire des trous noirs à plus d'un égard. Ses travaux des années 1950 et 1960 insistent sur le fait que de nombreuses étoiles finissent par s'effondrer, et pointent les difficultés que cette possibilité pose à la physique théorique. Wheeler prévoyait également plusieurs des propriétés des objets ainsi créés – les trous noirs.**

D.S. Si l'expression « trou noir » est simple au premier abord, il n'est pas facile d'en visualiser un concrètement dans

UNE MAJORITÉ D'ÉTOILES FINIRONT PAR S'EFFONDRER
TROUS NOIRS
JOHN WHEELER
ALBERT EINSTEIN
LES ÉTOILES NE PEUVENT PAS S'EFFONDRER SOUS L'EFFET DE LA GRAVITÉ !
LA MATIÈRE NE PEUT PAS ÊTRE COMPRESSÉE AU-DELÀ D'UN CERTAIN POINT
EN EFFET !

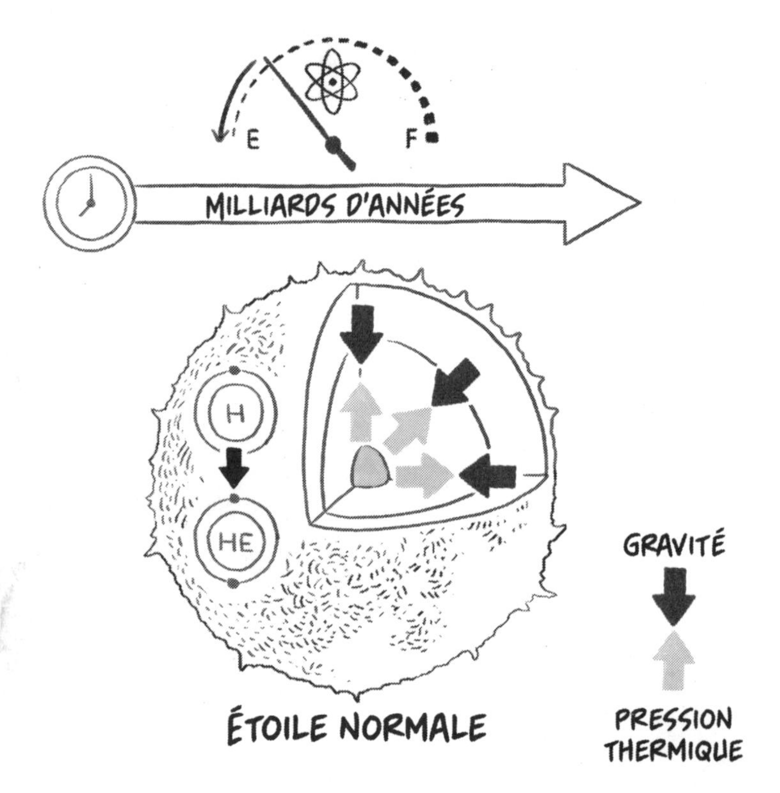
E
F
MILLIARDS D'ANNÉES
H
HE
ÉTOILE NORMALE
GRAVITÉ
PRESSION
THERMIQUE

l'espace. Imaginons une sorte de siphon géant dans lequel l'eau tourbillonne avant d'être engloutie. Une fois le bord – que l'on appelle « horizon des événements » – franchi, impossible de revenir en arrière. Les trous noirs sont si puissants qu'ils piègent aussi la lumière, c'est la raison pour laquelle nous ne pouvons les voir.
Mais les scientifiques savent qu'ils existent, parce qu'ils mettent en pièces les étoiles qui s'approchent trop près d'eux et peuvent faire trembler l'espace. La collision de deux trous noirs, il y a plus d'un milliard d'années, est à l'origine de ce que nous appelons des « ondes gravitationnelles », dont la récente détection constitue un résultat scientifique d'une portée considérable.

S.H. **Pendant la plus grande partie de sa vie, plusieurs milliards d'années, une étoile normale compensera sa gravité par sa pression thermique interne, engendrée par les**

**réactions nucléaires qui convertissent l'hydrogène en hélium.**

D.S. La NASA décrit les étoiles comme des cocottes-minute. La force explosive de leur fusion nucléaire interne crée une pression vers l'extérieur, pression contenue par la gravité qui exerce une force contraire.

S.H. **L'étoile finira toutefois par épuiser son carburant nucléaire et commencera à se contracter. Dans certains cas, elle survivra sous la forme d'une « naine blanche ». Mais Subrahmanyan Chandrasekhar a démontré en 1930 que la masse maximale d'une naine blanche ne peut dépasser 1,4 masse solaire. Le physicien soviétique Lev Landau a lui calculé une masse limite similaire pour les étoiles entièrement constituées de neutrons.**

D.S. Les naines blanches et les étoiles à neutrons sont des Soleils qui ont brûlé

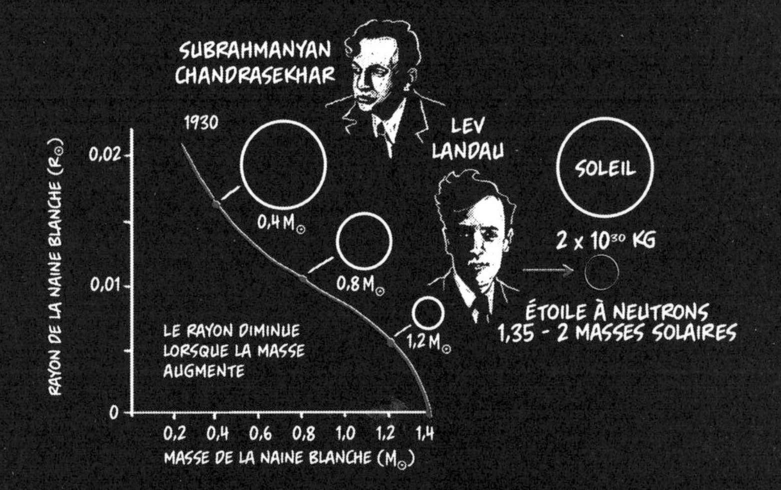
SUBRAHMANYAN CHANDRASEKHAR
1930
LEV LANDAU
SOLEIL
2 x 10³⁰ KG
0,4 M☉
0,8 M☉
1,2 M☉
ÉTOILE À NEUTRONS
1,35 - 2 MASSES SOLAIRES
LE RAYON DIMINUE LORSQUE LA MASSE AUGMENTE
RAYON DE LA NAINE BLANCHE (R☉)
0,02
0,01
0
0,2 0,4 0,6 0,8 1,0 1,2 1,4
MASSE DE LA NAINE BLANCHE (M☉)

tout leur carburant. Aucune force interne ne les soutenant plus, rien n'empêche l'attraction gravitationnelle de les compresser, jusqu'à devenir des objets parmi les plus denses de l'Univers. Mais, dans le classement des étoiles, les naines et les étoiles à neutrons sont relativement légères, leur force gravitationnelle n'est pas suffisamment importante pour provoquer leur effondrement complet. Ce qui intéresse Stephen Hawking et d'autres, c'est ce qui advient aux étoiles très massives lorsqu'elles atteignent la fin de leur vie.

S.H. **Quel est donc le sort des innombrables étoiles dont la masse est supérieure à celle d'une naine ou d'une étoile à neutrons, une fois leur carburant nucléaire épuisé ? Robert Oppenheimer, avant de devenir célèbre grâce à la bombe atomique, s'était penché sur la question. Avec George Volkoff et Hartland Snyder, il**

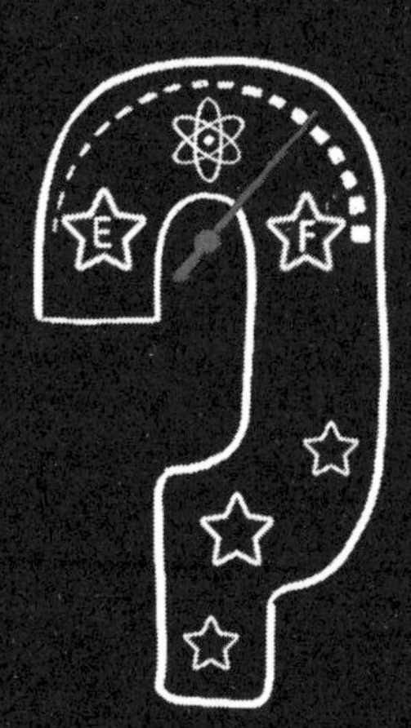

HARTLAND
SNYDER

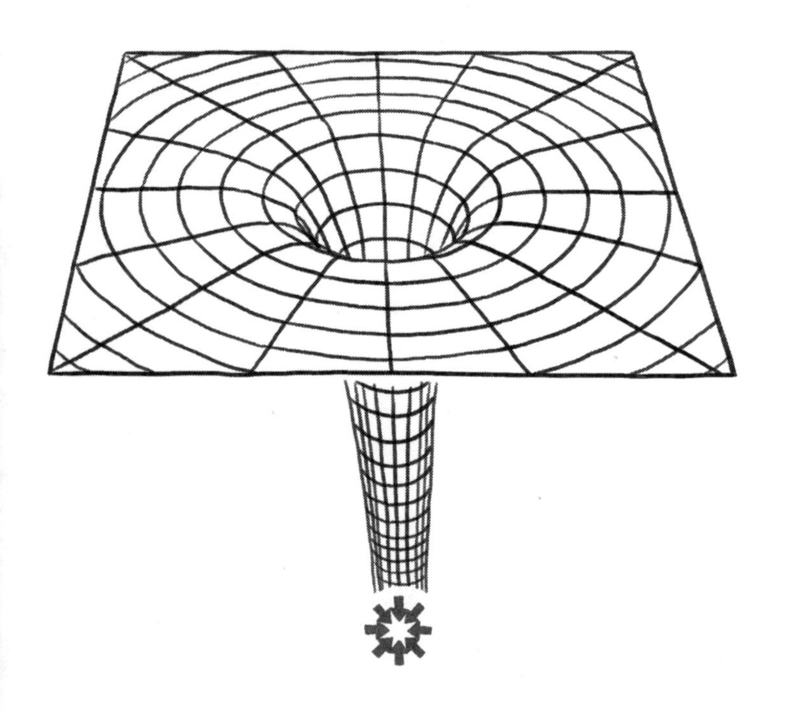

**démontra dans deux articles datant de 1939 qu'une telle étoile ne peut se maintenir grâce à sa pression interne, et que si l'on exclut la pression des calculs, une étoile uniforme, parfaitement sphérique et symétrique, se contractera jusqu'à un point d'une densité infinie, que l'on appelle une singularité.**

D.S. Lorsqu'une étoile géante est compressée en un point inimaginablement petit, on se retrouve avec une singularité. C'est un concept central dans la carrière de Stephen Hawking, qui renvoie non seulement à la fin d'une étoile, mais aussi à une idée tout aussi fondamentale, celle du point de départ de la formation de l'Univers entier. Les travaux mathématiques de Hawking sur ce point lui ont valu une reconnaissance internationale.

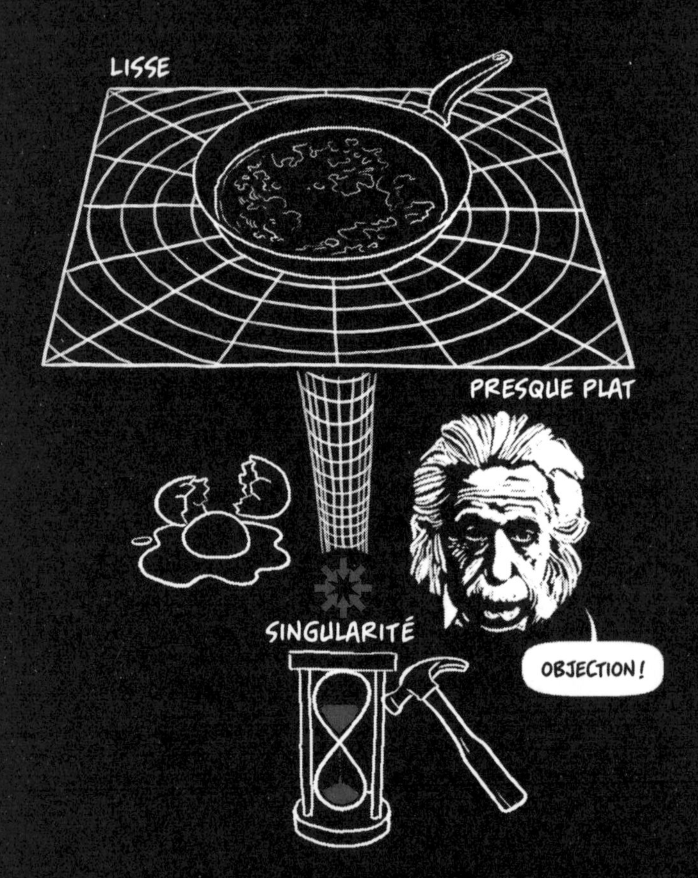
LISSE
PRESQUE PLAT
SINGULARITÉ
OBJECTION !

S.H. **Toutes nos théories de l'espace reposent sur le postulat selon lequel l'espace-temps est lisse et presque plat. Elles perdent donc leur sens en présence d'une singularité, où la courbure de l'espace-temps est infinie. En fait, la singularité marque la fin du temps lui-même. C'est la raison pour laquelle Einstein la trouvait si difficile à accepter.**

D.S. La théorie de la relativité générale d'Einstein dit que les objets distordent l'espace-temps autour d'eux. Imaginez une boule de bowling sur un trampoline, qui modifie la forme de la toile et fait rouler vers elle les objets plus petits. Voilà comment on explique l'effet de la gravité. Mais si la courbure de l'espace-temps devient de plus en plus prononcée – jusqu'à l'infini – les règles habituelles de l'espace et du temps cessent de s'appliquer.

S.H. **Lorsque la Seconde Guerre mondiale éclata, la plupart des scientifiques, Robert Oppenheimer compris, orientèrent leurs recherches vers la physique nucléaire, et la question de l'effondrement gravitationnel fut reléguée aux oubliettes. La découverte d'objets éloignés baptisés « quasars » la ramena au premier plan.**

D.S. Les quasars sont les objets les plus lumineux de l'Univers, et probablement les plus éloignés détectés jusqu'à présent. Leur nom vient de *quasi-stellar radio sources*, « sources de rayonnement astronomique quasi stellaire », et on les décrit comme des disques de matière qui tourbillonnent autour des trous noirs.

S.H. **Le premier quasar, 3C273, fut découvert en 1963. Bien d'autres suivirent. Fort éloignés de la**

# J'AI BESOIN DE VOUS POUR LE PROJET MANHATTAN

Terre, ils devaient être extraordinairement brillants pour être visibles à une telle distance. Les réactions nucléaires ne pouvaient expliquer cette production d'énergie, puisque les quasars ne libèrent qu'une minuscule quantité de leur masse au repos sous forme d'énergie pure. La seule explication possible était l'énergie gravitationnelle, libérée par l'effondrement gravitationnel. Et c'est ainsi que l'effondrement gravitationnel des étoiles revint sur le devant de la scène. Il était déjà évident qu'une étoile sphérique et uniforme se contracterait jusqu'à un point d'une densité infinie, une singularité. Or les équations d'Einstein perdent leur sens devant une singularité. Cela signifie qu'en un point précis d'une infinie densité, il est impossible de prédire l'avenir, ce qui implique que quelque chose d'étrange pourrait se produire à chaque fois qu'une étoile s'effondre. Nous serions

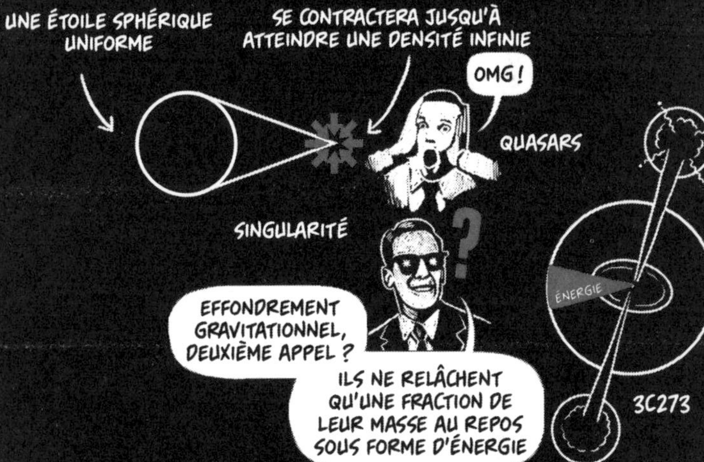

UNE ÉTOILE SPHÉRIQUE UNIFORME

SE CONTRACTERA JUSQU'À ATTEINDRE UNE DENSITÉ INFINIE

OMG !

QUASARS

SINGULARITÉ

EFFONDREMENT GRAVITATIONNEL, DEUXIÈME APPEL ?

ILS NE RELÂCHENT QU'UNE FRACTION DE LEUR MASSE AU REPOS SOUS FORME D'ÉNERGIE

ÉNERGIE

3C273

DÉCOUVERT EN 1963

UN TROU NOIR N'A PAS DE POILS
OH LA LA !
TROU NOIR, C'EST OBSCÈNE !
ÉTOILE GELÉE
TROU NOIR

**directement affectés par cette incapacité à prévoir le futur si les singularités étaient nues, ou en d'autres termes, si elles n'étaient pas cachées à notre vue.**

D.S. Une « singularité nue » est un scénario théorique dans lequel une étoile s'effondre sans qu'un horizon des événements se forme autour d'elle, laissant visible la singularité.

S.H. **John Wheeler introduisit le terme « trou noir » en 1967. On parlait auparavant d'étoile gelée, ou d'astre occlus. Le terme choisi par Wheeler soulignait que les restes des étoiles effondrées étaient des objets d'étude à part entière, indépendamment de la façon dont ils s'étaient formés. Le succès fut immédiat, le nouveau nom suggérant quelque chose de sombre et mystérieux. Les Français, comme il fallait s'y attendre, crurent déceler une signification plus osée.**

Pendant des années, ils boycottèrent le terme « trou noir », jugé obscène. Mais c'était un peu comme essayer de lutter contre *week-end* ou d'autres anglicismes. À la fin, ils durent s'incliner. Qui aurait pu résister à un nom pareil ? De l'extérieur, il est impossible de dire ce qu'il y a à l'intérieur d'un trou noir. Vous pouvez jeter des téléviseurs, des bagues en diamant, ou même vos pires ennemis dans un trou noir, les seules informations qu'il vous fournira seront sa masse totale, son moment cinétique et sa charge électrique. John Wheeler est célèbre pour sa formule « un trou noir n'a pas de poils », qui confirma par ailleurs les pires soupçons des Français.

S.H. Un trou noir possède une frontière, qu'on appelle l'horizon des événements. À cet endroit, la gravité devient suffisamment forte pour dévier et capturer les rayons lumineux. Comme rien ne se déplace

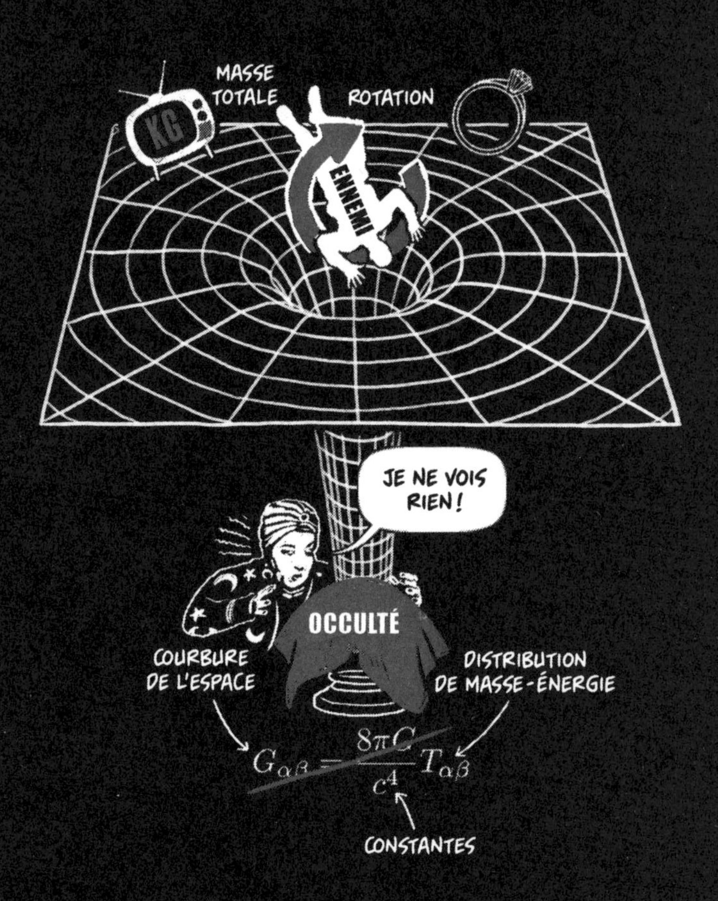
MASSE TOTALE
ROTATION
KG
ENNEMI
JE NE VOIS RIEN !
OCCULTÉ
COURBURE DE L'ESPACE
DISTRIBUTION DE MASSE-ÉNERGIE
$G_{\alpha\beta} = \frac{8\pi G}{c^4} T_{\alpha\beta}$
CONSTANTES

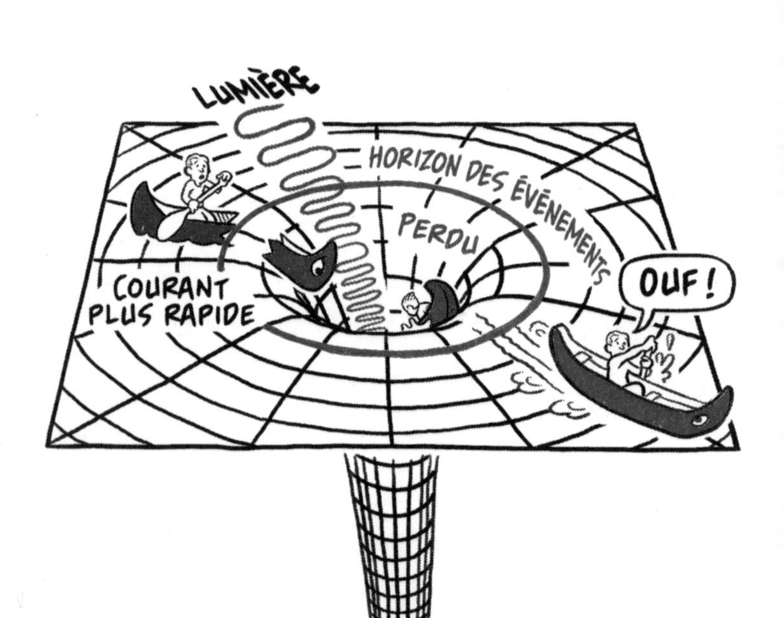
LUMIÈRE
HORIZON DES ÉVÉNEMENTS
PERDU
COURANT
PLUS RAPIDE
OUF !

plus vite que la lumière, si celle-ci ne peut s'échapper, rien d'autre ne le pourra. Traverser l'horizon des événements, c'est un peu comme faire du canoë sur les chutes du Niagara. En amont des chutes, vous pouvez vous en sortir si vous pagayez assez fort, mais une fois le plateau dépassé, vous êtes perdu. Il n'y a pas de retour possible. Le courant augmente au fur et à mesure que vous vous approchez des chutes. Cela signifie que la traction qui s'exerce sur le canoë est plus forte à l'avant qu'à l'arrière. L'esquif risque d'être brisé en deux.
Il en va de même pour les trous noirs. Si vous tombez dans un trou noir la tête la première, la force gravitationnelle sera plus intense au niveau de votre tête qu'au niveau de vos pieds, car celle-ci sera plus proche du trou noir. Vous serez alors étiré dans le sens de la longueur et écrasé latéralement. Si la masse du trou noir est égale à quelques

**masses solaires, vous serez déchiqueté et transformé en spaghetti avant d'atteindre l'horizon. En revanche, si vous tombez dans un trou noir bien plus grand, un million de fois plus massif que notre Soleil, vous atteindrez l'horizon sans difficulté. Si vous avez l'intention d'explorer l'intérieur d'un trou noir, assurez-vous d'en choisir un gros ! Un trou noir de quatre millions de masses solaires se trouve au centre de notre Galaxie, la Voie lactée.**

D.S. Les scientifiques pensent qu'il existe d'énormes trous noirs au centre de presque toutes les galaxies, une déduction remarquable étant donné le peu de temps qui s'est écoulé depuis la confirmation de l'existence de ces objets.

S.H. **Même si vous ne remarquiez rien de particulier en franchissant le point de non-retour d'un trou noir, un observateur extérieur ne**

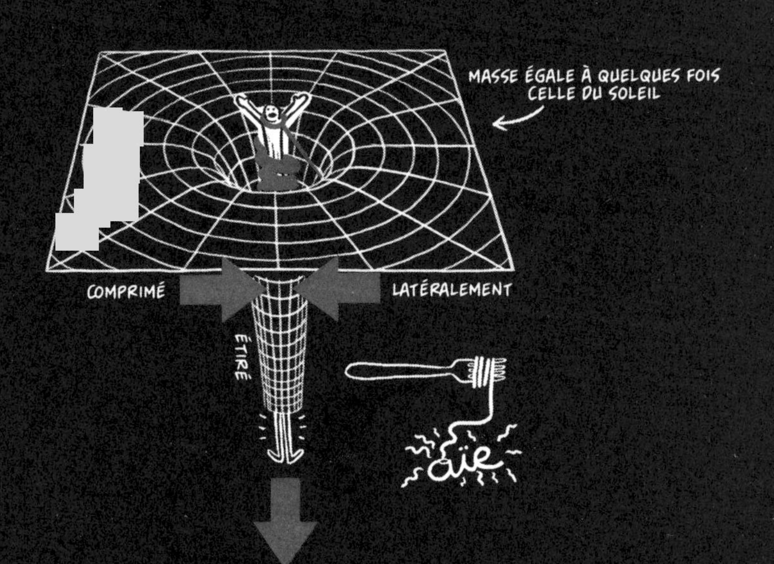
MASSE ÉGALE À QUELQUES FOIS CELLE DU SOLEIL
COMPRIMÉ
LATÉRALEMENT
ÉTIRÉ
aïe

**vous verrait jamais traverser l'horizon des événements. Il aurait l'impression que vous ralentissez, avant de vous mettre à flotter. Votre image deviendrait de plus en plus pâle, et de plus en plus rouge, avant de disparaître. Vous seriez alors perdu à jamais pour le monde extérieur.**

D.S. Comme la lumière ne peut s'échapper d'un trou noir, un éventuel témoin ne pourrait pas suivre votre descente. Dans l'espace, personne ne vous entend crier, et, dans un trou noir, personne ne vous voit disparaître.

S.H. **En 1970, une découverte mathématique fit avancer de façon spectaculaire la compréhension que nous avons de ces mystérieux phénomènes. La surface de l'horizon des événements, la zone frontière autour du trou noir, possède la propriété suivante : son aire augmente à chaque fois**

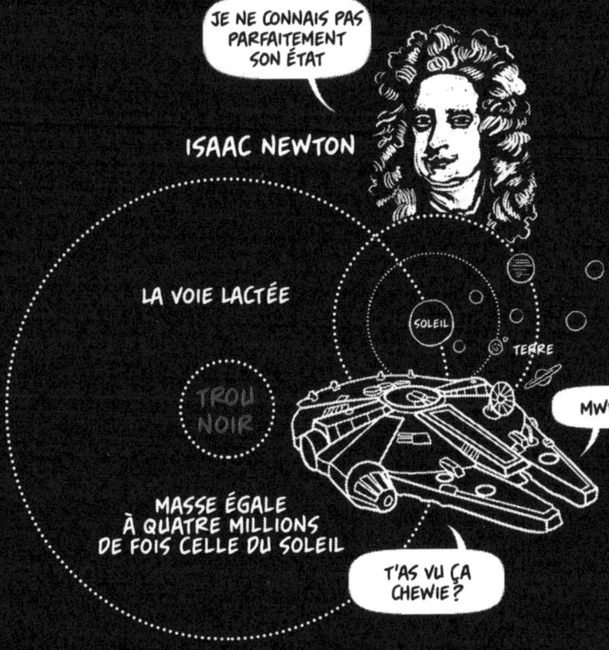

JE NE CONNAIS PAS PARFAITEMENT SON ÉTAT

ISAAC NEWTON

LA VOIE LACTÉE

SOLEIL

TERRE

TROU NOIR

MWWAHH !

MASSE ÉGALE À QUATRE MILLIONS DE FOIS CELLE DU SOLEIL

T'AS VU ÇA CHEWIE ?

# HORIZON DES ÉVÉNEMENTS

FRONTIÈRE D'UN TROU NOIR

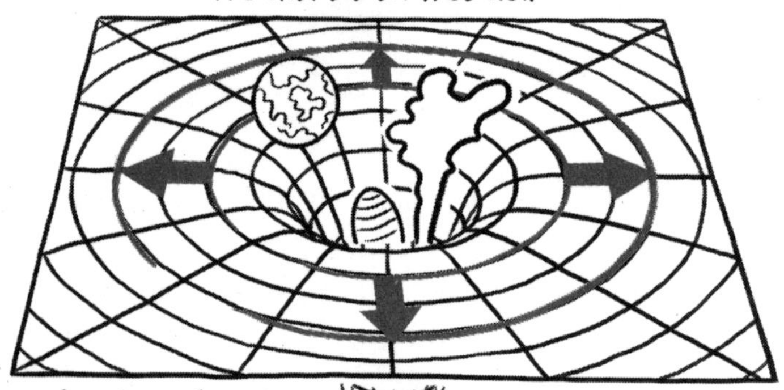

MATIÈRE SUPPLÉMENTAIRE

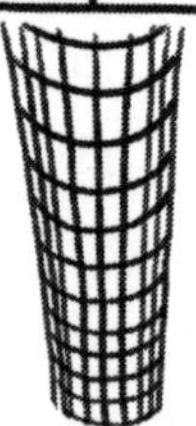

THERMODYNAMIQUE

CHAUD FROID

MESURE DU DÉSORDRE D'UN SYSTÈME

**que de la matière ou des radiations tombent dans le trou noir.**
**Cette propriété suggérait une ressemblance entre l'aire de l'horizon des événements d'un trou noir et la physique newtonienne classique, et en particulier le concept d'entropie de la thermodynamique. L'entropie peut être prise comme une mesure du désordre d'un système, ou encore du manque de connaissance sur son état précis. Le célèbre « second principe de la thermodynamique » stipule que l'entropie augmente toujours avec le temps. La découverte de 1970 fut le premier pas vers l'établissement de ce lien crucial.**

D.S. Par augmentation de l'entropie, on entend la tendance de toute chose ordonnée à perdre cet ordre au fur et à mesure que le temps passe. Par exemple, des briques rigoureusement empilées pour former un mur (entropie faible) finiront par devenir un tas de

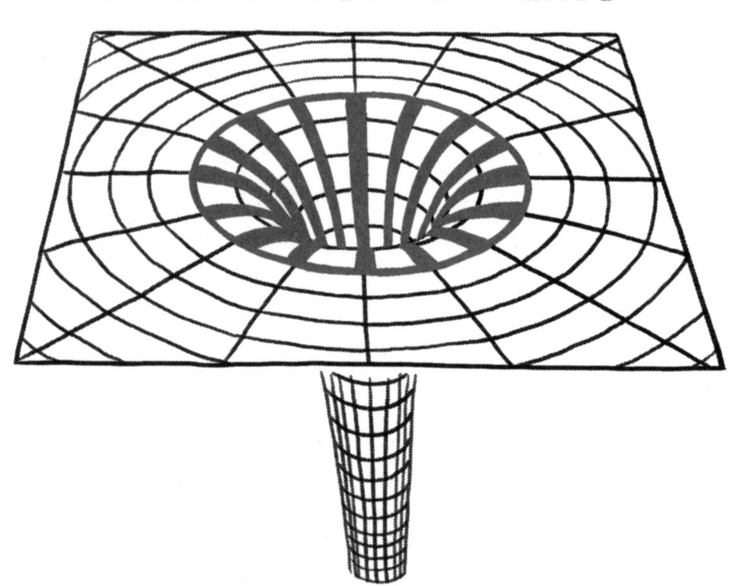
HORIZON DES ÉVÉNEMENTS

MASSE

MOMENT CINÉTIQUE

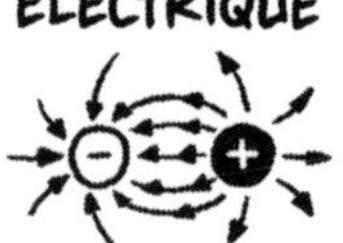
CHARGE
ÉLECTRIQUE

poussière (entropie forte). C'est ce processus que décrit le second principe de la thermodynamique.

S.H. **Même si l'existence d'un lien entre l'entropie et l'aire de l'horizon des événements semblait évidente, nous ne comprenions pas encore comment cette aire pouvait être identifiée à l'entropie du trou noir lui-même. Que signifiait l'entropie d'un trou noir ? En 1972, Jacob Bekenstein, un étudiant de Princeton qui fit carrière par la suite à l'université hébraïque de Jérusalem, avança une proposition qui s'avéra déterminante. Lorsqu'un trou noir se forme après l'effondrement gravitationnel d'une étoile, il s'installe rapidement dans un état stationnaire, qui est caractérisé par trois paramètres : sa masse, son moment cinétique (qui mesure sa rotation) et sa charge électrique. Ces trois propriétés mises à part, le trou**

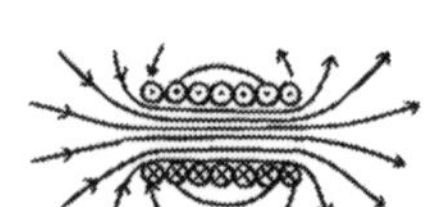

GRAVITÉ
ÉLECTRO-MAGNÉTISME
INTERACTION FAIBLE
INTERACTION FORTE

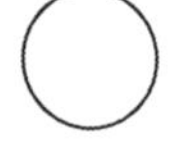
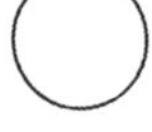

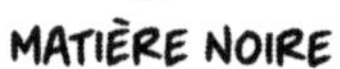
PROTON
QUARK
MATIÈRE NOIRE

NEUTRON
BOSON
NEUTRINO

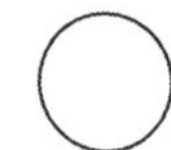

ÉLECTRON
PHOTON
GRAVITON

OUI / NON
PERTE D'INFORMATION

EFFONDREMENT
GRAVITATIONNEL

**noir ne conserve aucune caractéristique de l'objet qui s'est effondré.**
**Ce théorème a des implications au niveau de l'information, dans le sens qu'un physicien donne au mot : toutes les particules et toutes les forces de l'Univers portent en elles une réponse implicite à une question binaire (oui/non).**

D.S. L'information, dans ce contexte, représente tous les renseignements qui décrivent chaque particule et chaque force associées à un objet. Plus un objet est désordonné – plus son entropie est élevée – plus on a besoin d'informations pour le décrire. Pour reprendre les mots de Jim Al-Khalili, professeur de physique et présentateur de nombreuses émissions de vulgarisation scientifique, un jeu de cartes bien mélangé possède une entropie plus grande qu'un jeu qui n'a pas été battu, par conséquent sa

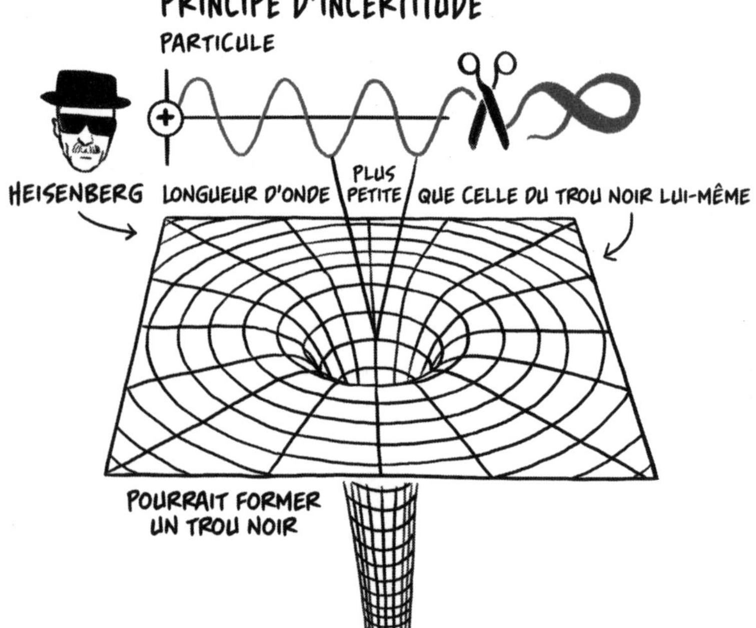
PRINCIPE D'INCERTITUDE
PARTICULE
HEISENBERG
LONGUEUR D'ONDE
PLUS
PETITE
QUE CELLE DU TROU NOIR LUI-MÊME
POURRAIT FORMER
UN TROU NOIR

description requiert davantage d'explications, ou d'informations.

S.H. **Le théorème implique la perte d'une grande quantité d'information lors de l'effondrement gravitationnel. L'état final du trou noir ne dépend pas des caractéristiques du corps qui s'est effondré : le fait que ce dernier ait été composé de matière ou d'antimatière, qu'il ait été sphérique ou de forme irrégulière n'a aucune importance. En d'autres termes, un trou noir d'une masse, d'un moment cinétique et d'une charge électrique donnés pourrait résulter de l'effondrement d'un grand nombre de configurations de matière – et en particulier d'étoiles de types très variés. Si l'on néglige les effets quantiques, le nombre de configurations potentielles est infini : un trou noir pourrait résulter de l'effondrement d'un nuage au nombre de particules**

**indéfiniment grand, à la masse indéfiniment petite. Mais le nombre de configurations est-il vraiment infini ? C'est ici qu'entrent en scène les effets quantiques.**
**Le principe d'incertitude de la mécanique quantique implique que seules les particules d'une longueur d'onde plus petite que celle du trou noir lui-même peuvent former un trou noir. Cela signifie que la gamme des longueurs d'onde potentielles est limitée : elle ne peut pas être infinie.**

D.S. Le principe d'incertitude, formulé par le physicien allemand Werner Heisenberg dans les années 1920, affirme que nous ne pouvons jamais situer ou prédire la position précise des particules les plus petites. À l'échelle quantique, l'imprécision existe dans la nature, très loin de l'Univers précisément ordonné décrit par Isaac Newton.

MESURE LA QUANTITÉ
D'INFORMATION PERDUE

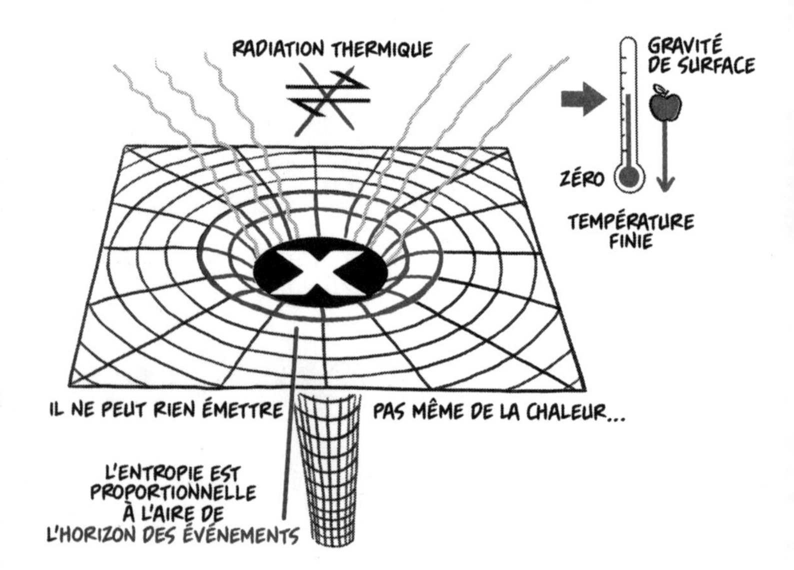
RADIATION THERMIQUE
GRAVITÉ
DE SURFACE
ZÉRO
TEMPÉRATURE
FINIE
IL NE PEUT RIEN ÉMETTRE
PAS MÊME DE LA CHALEUR…
L'ENTROPIE EST
PROPORTIONNELLE
À L'AIRE DE
L'HORIZON DES ÉVÉNEMENTS

S.H. Il apparaît donc que le nombre de configurations pouvant donner naissance à un trou noir d'une masse, d'un moment cinétique et d'une charge électrique donnés, bien qu'extrêmement grand, est toutefois fini. Jacob Bekenstein pensait que l'on pouvait établir à partir de ce nombre fini l'entropie du trou noir, entendue comme la mesure de la quantité d'information irrémédiablement perdue lors de l'effondrement à l'origine du trou noir.

La proposition de Bekenstein présentait en apparence un défaut fatal : si un trou noir a une entropie proportionnelle à l'aire de son horizon des événements, il doit aussi avoir une température, proportionnelle à la gravité qui s'exerce à sa surface. Cela impliquerait que le trou noir soit en équilibre, du point de vue du rayonnement thermique, à une température autre que zéro. D'après les conceptions

**classiques, un tel équilibre est impossible, puisque le trou noir absorbe tout rayonnement thermique qui franchirait l'horizon des événements, mais est incapable par définition d'émettre quoi que ce soit en retour. Un trou noir n'émet rien, pas même de la chaleur.**

D.S. Si l'information est perdue, ce qui est apparemment le cas pour un trou noir, il devrait y avoir une émission d'énergie, mais cela vient en contradiction directe avec la théorie selon laquelle rien ne sort des trous noirs.

S.H. **Nous nous trouvons devant un paradoxe. J'y reviendrai durant ma prochaine conférence, où je me pencherai sur la façon dont les trous noirs défient le principe fondamental de la prédictibilité de l'Univers et de la certitude de l'histoire, et où nous nous demanderons ce qui vous**

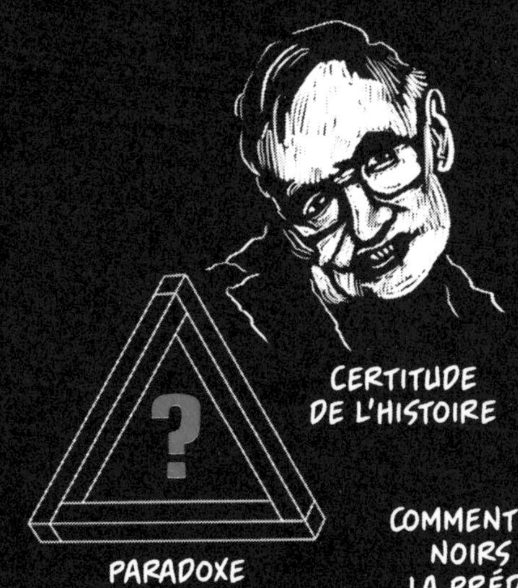


MA PROCHAINE CONFÉRENCE

COMMENT LES TROUS
NOIRS DÉFIENT
LA PRÉDICTIBILITÉ
DE L'UNIVERS

**arriverait si vous étiez un jour englouti par l'un d'entre eux.**

D.S. Le voyage scientifique que nous venons de faire en compagnie de Stephen Hawking a eu comme point de départ le refus d'Einstein d'admettre la possibilité d'un effondrement gravitationnel. Une fois la réalité des trous noirs établie, il nous a conduits à un choc de théories apparemment irréconciliables sur le fonctionnement de ces étranges entités.

QU'ARRIVERAIT-IL SI VOUS ÉTIEZ ENGLOUTI PAR UN TROU NOIR ?

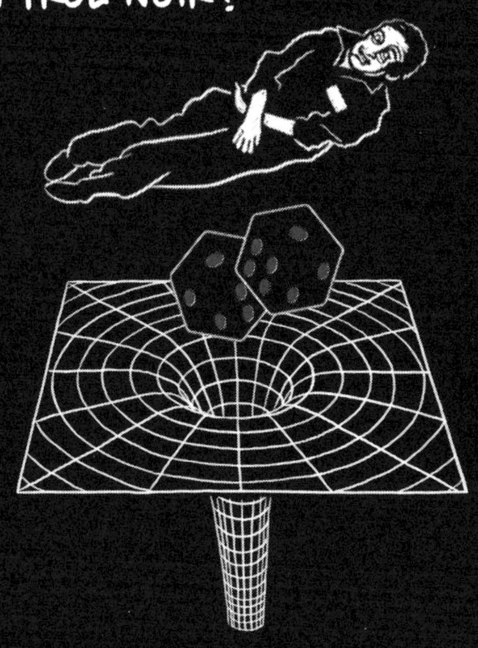

# LES TROUS NOIRS NE SONT PAS AUSSI NOIRS QU'ON LE DIT

S.H. À la fin de ma première conférence, je vous ai laissé au bord d'un abîme apparemment insondable : un paradoxe sur la nature des trous noirs, ces objets incroyablement denses créés par l'effondrement des étoiles. L'une des théories en présence affirmait que des trous noirs aux caractéristiques identiques pouvaient avoir pour origine une infinité d'étoiles différentes. L'autre donnait ce nombre pour fini. Il s'agit d'un problème d'information, autrement dit lié à l'idée

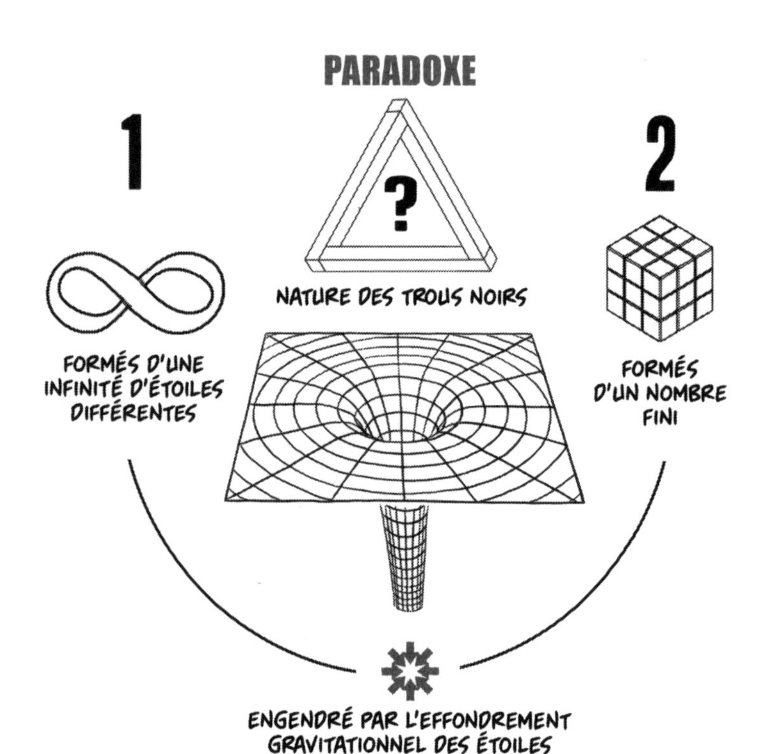
PARADOXE
1
2
?
NATURE DES TROUS NOIRS
FORMÉS D'UNE INFINITÉ D'ÉTOILES DIFFÉRENTES
FORMÉS D'UN NOMBRE FINI
ENGENDRÉ PAR L'EFFONDREMENT GRAVITATIONNEL DES ÉTOILES

selon laquelle chaque particule, chaque force de l'Univers, contient une réponse implicite à une question binaire. Puisqu'« un trou noir n'a pas de poils », selon la formule de John Wheeler, on ne peut pas savoir de l'extérieur ce qu'il y a à l'intérieur du trou noir – sa masse, son moment cinétique et sa charge électrique exceptés. Cela signifie qu'un trou noir contient un grand nombre d'informations qui demeurent cachées au monde extérieur. Si la quantité d'information cachée dans un trou noir dépend de la taille du trou, selon les principes généraux, ce dernier devrait avoir une température et rougeoyer comme un métal brûlant. Mais cela est impossible, puisque rien ne sort d'un trou noir.
Du moins, c'est ce que l'on pensait. Ce paradoxe persista jusqu'au début de l'année 1974, une époque où je me demandais comment se comporterait la

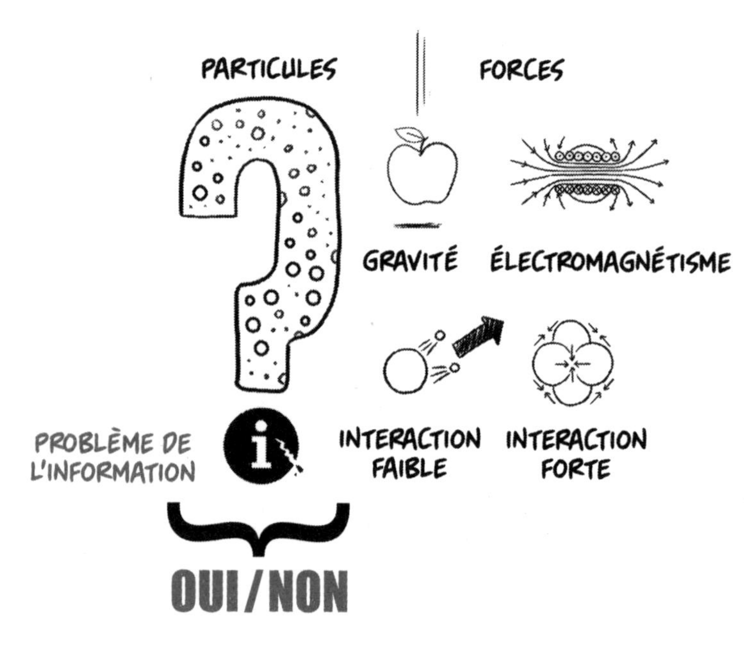
PARTICULES
FORCES
GRAVITÉ
ÉLECTROMAGNÉTISME
INTERACTION FAIBLE
INTERACTION FORTE
PROBLÈME DE L'INFORMATION
OUI/NON

**matière au voisinage d'un trou noir selon la mécanique quantique.**

D.S. La mécanique quantique est la science de l'extrêmement petit, et vise à expliquer le comportement des particules les plus minuscules qui soient. Celles-ci n'agissent pas selon les lois qui gouvernent des objets bien plus gros, comme les planètes, lois qui ont été formulées pour la première fois par Isaac Newton. Avoir recours à la science du très petit pour étudier le très grand a été l'une des contributions pionnières de Stephen Hawking.

S.H. **À ma grande surprise, je découvris que les trous noirs semblaient émettre des particules une fois leur état stationnaire atteint. À l'époque, comme tous mes collègues, j'acceptais le dogme selon lequel un trou noir ne pouvait émettre quoi que**

ÇA DOIT ÊTRE QUELQUE
CHOSE QUE J'AI MANGÉ

36.8

*information*

INVISIBLE
AU MONDE EXTÉRIEUR

DÉPEND DE LA TAILLE

**ce soit. Je fis donc tous les efforts possibles pour liquider ce résultat embarrassant. Mais plus j'y pensais, moins il manifestait l'intention de disparaître, et je dus finalement l'accepter.**
**Ce qui me convainquit qu'il s'agissait d'un processus physique réel fut que les longueurs d'onde des particules émises correspondaient exactement au spectre thermique. Mes calculs prédisaient en effet qu'un trou noir crée et émet des particules et des radiations comme un corps chaud ordinaire, avec une température proportionnelle à sa gravité de surface et inversement proportionnelle à sa masse.**

D.S. Ces calculs furent les premiers à montrer qu'un trou noir n'est pas forcément une voie à sens unique menant à un cul-de-sac. Sans surprise, ces émissions prirent le nom de radiations de Hawking.

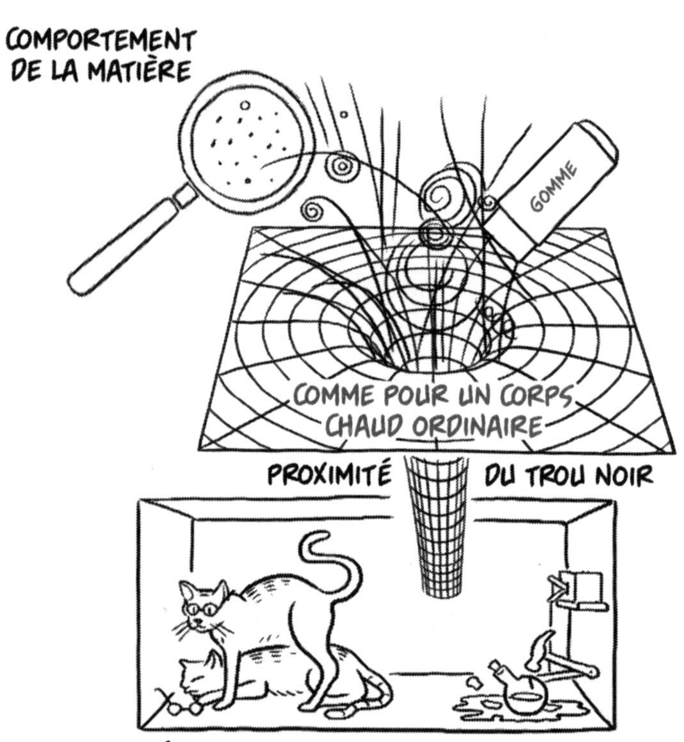
COMPORTEMENT
DE LA MATIÈRE
GOMME
COMME POUR UN CORPS
CHAUD ORDINAIRE
PROXIMITÉ DU TROU NOIR
MÉCANIQUE QUANTIQUE

S.H. **Depuis, la preuve mathématique de l'émission de radiations thermiques des trous noirs a été confirmée par plusieurs chercheurs aux approches très différentes. Voici l'une des façons d'expliquer ces émissions. Selon la mécanique quantique, la totalité de l'espace est remplie de paires de particules et d'antiparticules virtuelles, qui se matérialisent, constamment par paire, se séparent, puis se rassemblent avant de s'annihiler.**

D.S. Ce concept repose sur l'idée selon laquelle un espace « vide » ne l'est jamais complètement. Selon le principe d'incertitude de la mécanique quantique, des particules peuvent toujours apparaître, même si ce n'est que brièvement. Il s'agit toujours de paires de particules, aux caractéristiques opposées, qui apparaissent et disparaissent.

S.H. **Ces particules sont dites « virtuelles », car contrairement**

SPECTRE D'ÉNERGIE
DE LA LUMIÈRE

ATOMES D'HYDROGÈNE
EXCITÉS

BEE !

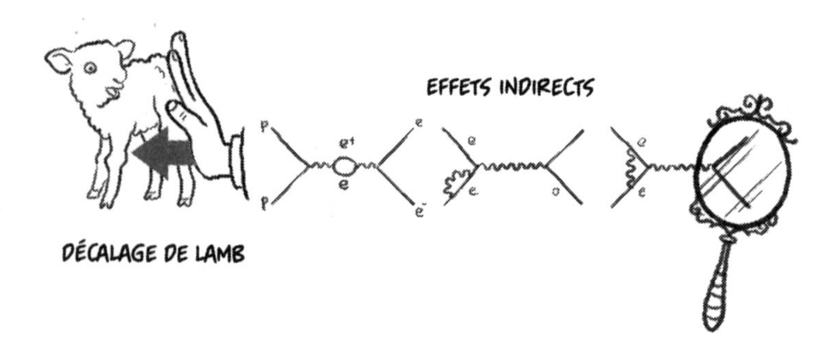

**aux particules réelles, elles ne peuvent être observées directement par un détecteur de particules. Leurs effets indirects sont toutefois mesurables, et leur existence a été confirmée par le petit décalage, nommé décalage de Lamb, qu'elles provoquent sur le niveau d'énergie du spectre lumineux émis par des atomes d'hydrogène excités. Dans le voisinage d'un trou noir, il est possible que l'un des membres de la paire de particules virtuelles tombe dans le trou, laissant l'autre membre privé du partenaire qui lui est nécessaire pour s'annihiler. La particule ou l'antiparticule abandonnée pourra sauter dans le trou à la recherche de sa moitié, ou s'échapper vers l'infini. Elle semblera alors avoir été émise par le trou noir.**

D.S. La formation et la disparition de ces particules passent normalement inaperçues. Mais si ce processus advient sur

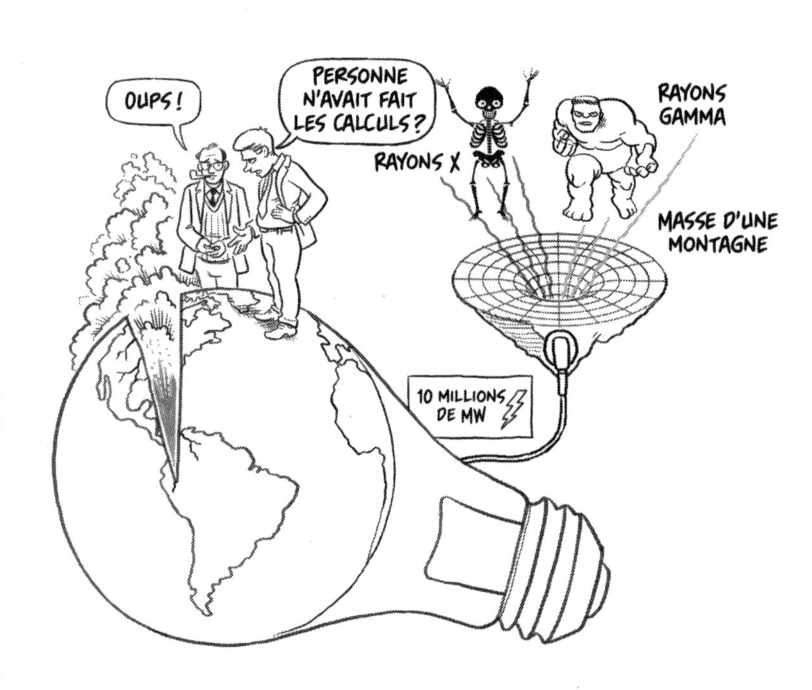
OUPS !
PERSONNE N'AVAIT FAIT LES CALCULS ?
RAYONS X
RAYONS GAMMA
MASSE D'UNE MONTAGNE
10 MILLIONS DE MW

le bord d'un trou noir, l'un des membres de la paire peut être aspiré et l'autre non. On a alors l'impression que la particule qui s'échappe est en quelque sorte recrachée par le trou noir.

S.H. **Un trou noir d'une masse équivalente au Soleil perdrait des particules à un rythme si lent que le processus serait impossible à détecter. Toutefois, il pourrait exister des trous noirs bien plus petits, des « mini » trous noirs, d'une masse équivalente à celle d'une montagne. Un tel trou noir émettrait des rayons X et des rayons gamma d'une puissance de dix millions de mégawatts, assez pour couvrir la consommation électrique du monde entier. Exploiter l'énergie d'un « mini » trou noir ne serait toutefois pas évident. Il serait impossible de l'installer dans une centrale, parce qu'il traverserait le plancher et finirait au centre de la Terre. Si nous disposions d'un tel**

YEP ! C'EST EXACTEMENT CE QUE J'ALLAIS DIRE...
ATTENDEZ... NOUS POURRIONS PEUT-ÊTRE CRÉER DES MICRO TROUS NOIRS DANS LES DIMENSIONS SUPPLÉMENTAIRES DE L'ESPACE-TEMPS.
TU TROUVES QUELQUE CHOSE ?
ALFR. NOBEL
NAT. MDCCC XXXIII OB. MDCCC XCVI

**trou noir, la seule solution pour le retenir consisterait... à le mettre en orbite autour de la Terre.**

S.H. **Des chercheurs ont essayé de détecter des « mini » trous noirs, mais personne n'en a encore trouvé un. C'est dommage, car si cela s'était produit, j'aurais maintenant le prix Nobel ! Nous pourrions peut-être toutefois réussir à créer des « micro » trous noirs dans les dimensions supplémentaires de l'espace-temps.**

D.S. Ces « dimensions supplémentaires » se réfèrent à quelque chose situé au-delà des trois dimensions que nous expérimentons dans notre vie quotidienne et de la quatrième dimension, le temps. Cette idée est née alors qu'on tentait de comprendre pourquoi la gravité est tellement plus faible que d'autres forces, comme le magnétisme : la gravité s'exerce peut-être également dans des dimensions parallèles.

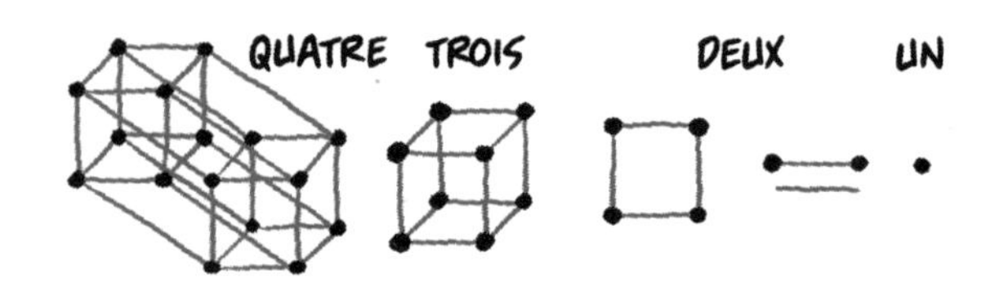
QUATRE
TROIS
DEUX
UN

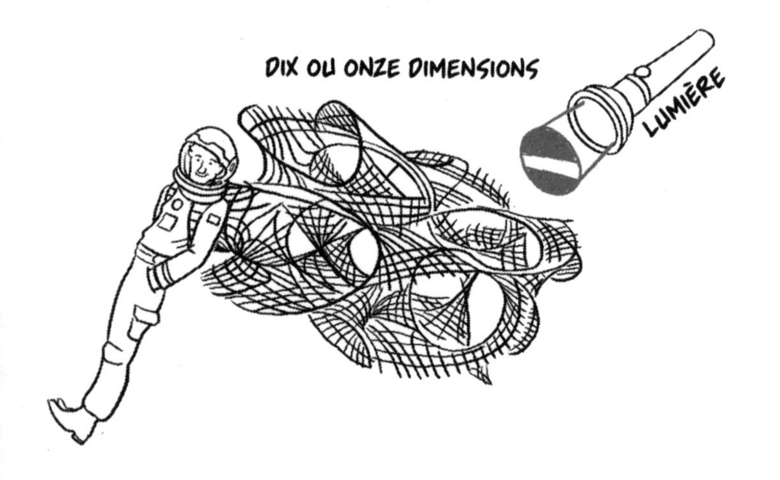
DIX OU ONZE DIMENSIONS
LUMIÈRE

S.H. Selon certaines théories, l'Univers que nous connaissons n'est qu'un espace à quatre dimensions inclus dans un espace à dix ou onze dimensions. Le film *Interstellar* nous donne une idée de ce à quoi cela pourrait ressembler. Nous ne pourrions pas voir ces dimensions supplémentaires parce que la lumière ne se propage pas à travers ces dernières, mais seulement dans les quatre dimensions de notre Univers. La gravité, en revanche, affecterait ces dimensions parallèles et y serait bien plus forte que dans les nôtres.

Voilà qui rendrait la formation d'un petit trou noir bien plus facile dans ces dimensions. Et ce phénomène pourrait peut-être être observé au Grand collisionneur de hadrons (LHC) du CERN, près de Genève. Il s'agit d'un tunnel en anneau de 27 kilomètres de long. Deux faisceaux de particules se déplacent à l'intérieur, à une vitesse proche de la

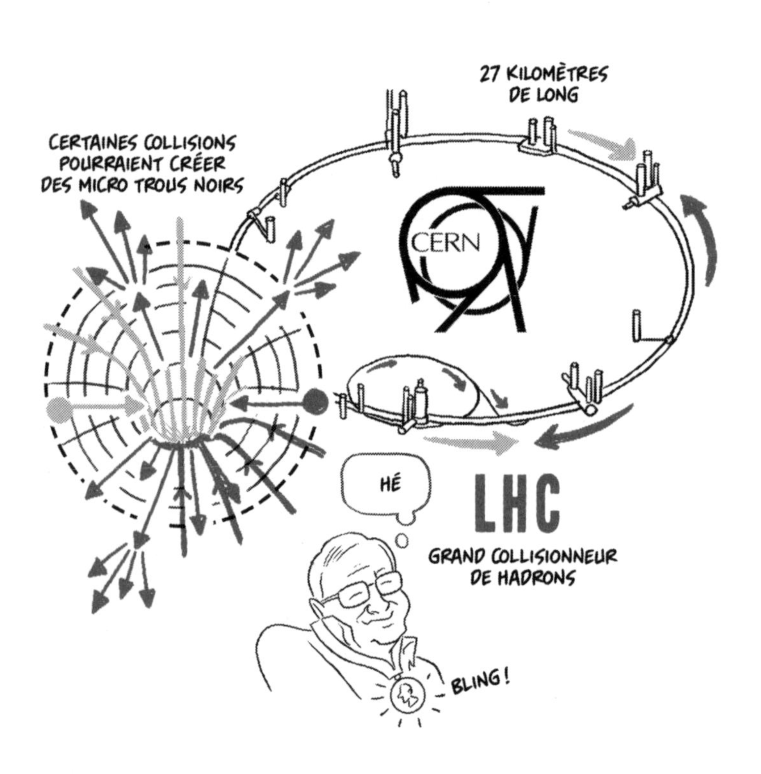
27 KILOMÈTRES
DE LONG
CERTAINES COLLISIONS
POURRAIENT CRÉER
DES MICRO TROUS NOIRS
CERN
HÉ
LHC
GRAND COLLISIONNEUR
DE HADRONS
BLING !

**lumière et dans des directions opposées, avant d'entrer en collision. Certaines collisions pourraient créer des « micro » trous noirs. Ces derniers émettraient des particules obéissant à un certain modèle, aisément reconnaissable. Après tout, je finirais peut-être par l'avoir, ce prix Nobel !**

D.S. Le prix Nobel de physique est attribué lorsqu'une théorie a « fait ses preuves avec le temps », ce qui signifie dans la pratique qu'elle a été confirmée par des preuves irréfutables. Par exemple, Peter Higgs a été l'un des scientifiques qui avaient suggéré dans les années 1960 l'existence d'une particule qui donnerait aux autres particules leurs masses. Près de cinquante ans plus tard, deux détecteurs différents, au Grand collisionneur de hadrons, ont repéré ce qui a pris le nom de boson de Higgs. Ce fut un triomphe de la science et de la technologie, d'une

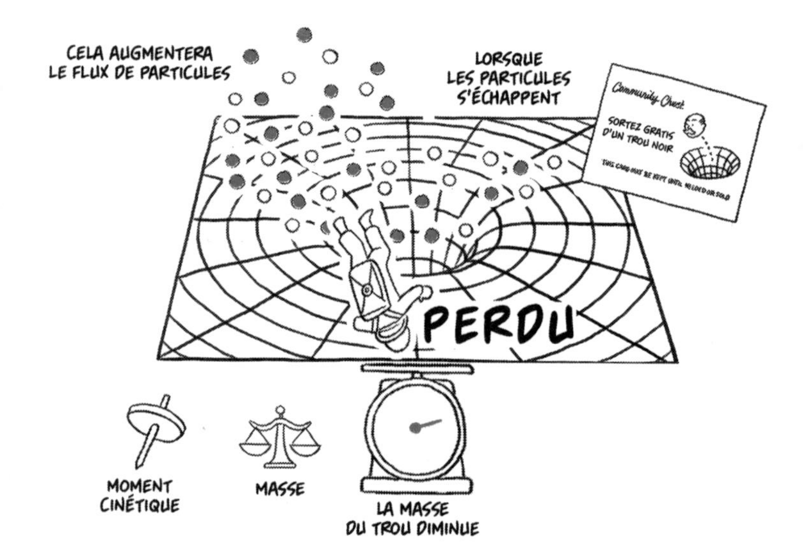
CELA AUGMENTERA
LE FLUX DE PARTICULES
LORSQUE
LES PARTICULES
S'ÉCHAPPENT
Community Chest
SORTEZ GRATIS
D'UN TROU NOIR
PERDU
MOMENT
CINÉTIQUE
MASSE
LA MASSE
DU TROU DIMINUE

théorie brillante et de confirmations expérimentales durement gagnées. L'Écossais Peter Higgs et le Belge François Englert reçurent alors le prix Nobel de physique.
Aucune preuve n'a encore été apportée de l'existence de la radiation de Hawking, et d'aucuns affirment qu'elle serait trop difficile à détecter. Néanmoins, les trous noirs faisant l'objet d'études dans leurs moindres détails, une confirmation pourrait bien arriver un jour ou l'autre.

S.H. **Au fur et à mesure que les particules s'échappent du trou noir, celui-ci perd de sa masse et se contracte, ce qui augmente le taux d'émission des particules. Pour finir, le trou noir perdra toute sa masse et disparaîtra. Qu'arrive-t-il alors à toutes les particules et aux malheureux astronautes qui sont tombés dans le trou noir ? Ils ne peuvent pas simplement**

**réémerger lorsque le trou noir disparaît. Il semble que l'information portant sur ce qui est tombé dans le trou soit perdue, hormis la masse totale, le moment cinétique et la charge électrique. Et si l'information est réellement perdue, nous nous trouvons devant un sérieux problème qui remet en cause les fondements de notre savoir scientifique actuel.**

**Depuis plus de deux cents ans, nous avons embrassé le déterminisme scientifique, c'est-à-dire que nous croyons que les lois de la science déterminent l'évolution de l'Univers. Ce principe a été formulé par Pierre-Simon Laplace : si nous connaissons l'état de l'Univers à un moment donné, les lois de la science déterminent son futur et son passé.**

**Napoléon aurait demandé à Laplace quel rôle il réservait à Dieu dans sa conception de l'Univers, et Laplace aurait répliqué : « Sire, je n'ai pas eu besoin de cette hypothèse. » Je ne**

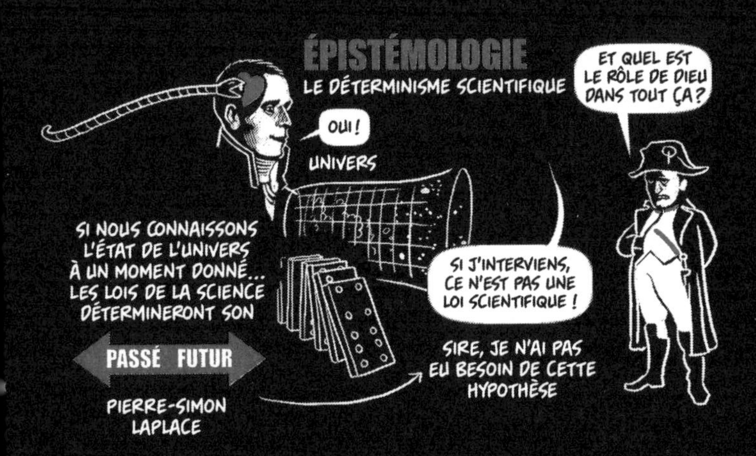
ÉPISTÉMOLOGIE
LE DÉTERMINISME SCIENTIFIQUE
SI NOUS CONNAISSONS L'ÉTAT DE L'UNIVERS À UN MOMENT DONNÉ... LES LOIS DE LA SCIENCE DÉTERMINERONT SON
PASSÉ FUTUR
PIERRE-SIMON LAPLACE
OUI !
UNIVERS
ET QUEL EST LE RÔLE DE DIEU DANS TOUT ÇA ?
SI J'INTERVIENS, CE N'EST PAS UNE LOI SCIENTIFIQUE !
SIRE, JE N'AI PAS EU BESOIN DE CETTE HYPOTHÈSE

pense pas que Laplace voulait affirmer par là que Dieu n'existe pas, seulement qu'il n'intervient pas pour enfreindre les lois de la science, ce qui devrait être la position de tout scientifique. Une loi scientifique ne tient que si un être surnaturel décide de laisser les choses aller sans intervenir ? Elle n'a plus rien d'une loi scientifique.

Dans le déterminisme de Laplace, il faut connaître la position et la vitesse de toutes les particules à un temps donné pour pouvoir prédire le futur. Mais il est également nécessaire de prendre en compte le principe d'incertitude, formulé par Werner Heisenberg en 1923, qui se trouve au cœur de la mécanique quantique. Celui-ci veut que plus on connaît précisément la position des particules, moins on connaît précisément leur vitesse, et vice versa. Autrement dit, il est impossible de définir avec précision et de

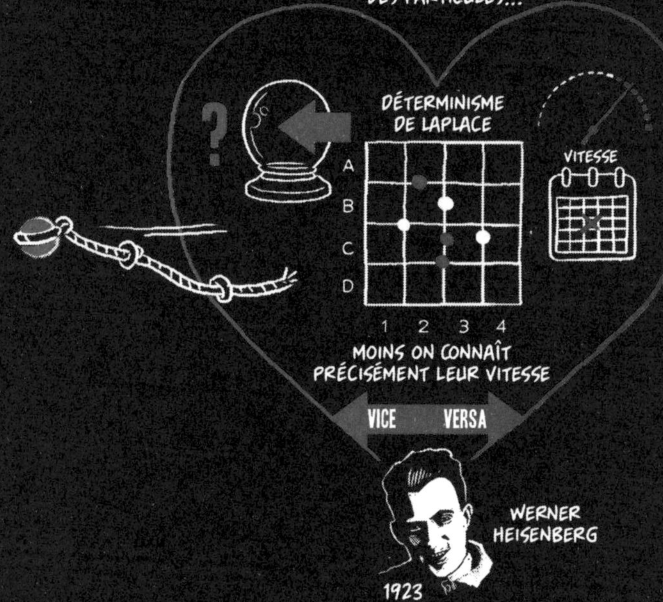
PLUS ON CONNAÎT PRÉCISÉMENT LA POSITION DES PARTICULES...
DÉTERMINISME DE LAPLACE
?
A
B
C
D
1 2 3 4
VITESSE
MOINS ON CONNAÎT PRÉCISÉMENT LEUR VITESSE
VICE VERSA
WERNER HEISENBERG
1923

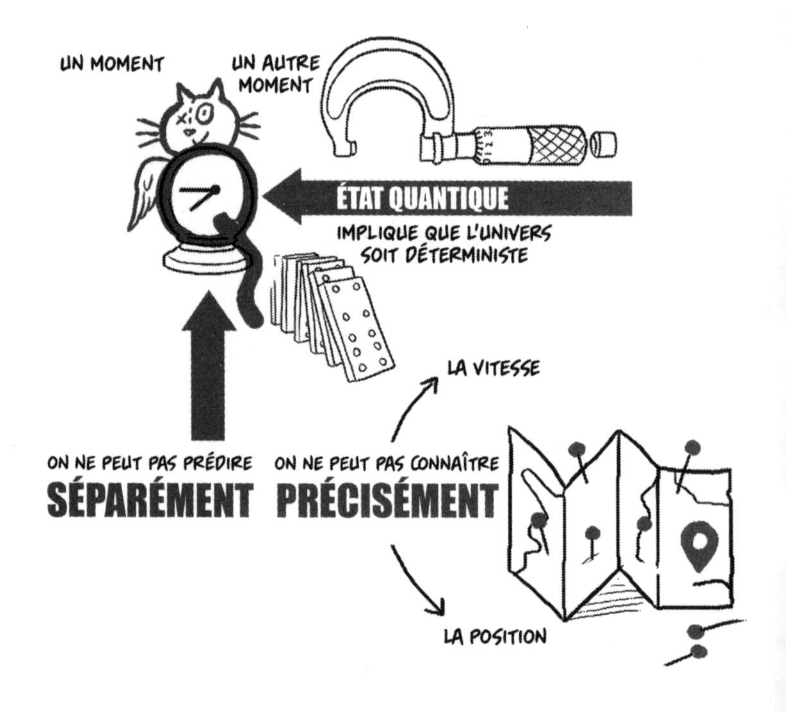
UN MOMENT
UN AUTRE MOMENT
ÉTAT QUANTIQUE
IMPLIQUE QUE L'UNIVERS SOIT DÉTERMINISTE
LA VITESSE
ON NE PEUT PAS PRÉDIRE
SÉPARÉMENT
ON NE PEUT PAS CONNAÎTRE
PRÉCISÉMENT
LA POSITION

**façon simultanée les positions et les vitesses des particules.**
**Comment alors prédire le futur avec exactitude ? Même si on ne peut prédire les positions et les vitesses que séparément, il est possible de prévoir ce que l'on appelle l'« état quantique », à partir duquel positions et vitesses peuvent être calculées avec un certain degré de précision. Nous nous attendons donc, malgré tout, à ce que l'Univers soit déterministe : si nous connaissons l'état quantique de l'Univers à un moment donné, les lois de la science devraient nous permettre de le prédire à n'importe quel autre moment.**

D.S. Ce qui avait commencé comme une explication de ce qui se passe à l'horizon des événements s'est transformé en une exploration de questions philosophiques fondamentales pour les sciences – de la grande horloge de

QUELLE EST LA PROBABILITÉ ?
TRÈS FAIBLE
ŒUVRES COMPLÈTES WILLIAM SHAKESPEARE
ÉMET N'IMPORTE QUEL ENSEMBLE DE PARTICULES
?
PERDU

l'Univers de Newton aux lois de Laplace, en passant par les incertitudes de Heisenberg – et des points où ces raisonnements sont mis à mal par le mystère des trous noirs. De façon très condensée, selon la théorie de la relativité générale d'Einstein, l'information qui entre dans un trou noir doit être détruite, tandis que selon la théorie des quanta elle ne peut disparaître.

S.H. **Si l'information se perdait dans les trous noirs, nous ne pourrions pas prédire le futur, parce qu'un trou noir pourrait alors émettre n'importe quel ensemble de particules. Il pourrait tout à fait recracher un écran de télévision allumé ou un volume relié en cuir des œuvres complètes de Shakespeare, même si la probabilité que des émissions aussi exotiques se produisent serait très faible. On pourrait penser que notre incapacité à prédire ce qui sort des** trous noirs n'a somme toute guère d'importance. Après tout, aucun trou noir ne se trouve près de nous. Mais c'est une question de principe.

S.H. Si le déterminisme – la prédictibilité de l'Univers – s'effondre devant les trous noirs, il pourrait également être battu en brèche dans d'autres situations. Pis encore, si le déterminisme est remis en cause, nous ne pouvons plus être sûrs de notre passé. Les livres d'histoire et nos souvenirs pourraient n'être que des illusions. Or c'est le passé qui nous dit qui nous sommes ; sans lui, nous perdons notre identité.

Il était donc très important de déterminer si l'information est vraiment perdue dans les trous noirs ou si, en principe du moins, elle peut être récupérée. Plusieurs scientifiques pensaient que l'information ne pouvait être perdue, mais aucun ne suggérait un mécanisme

IDENTITÉ
AI-JE RÉELLEMENT EXISTÉ ?
SI LE DÉTERMINISME EST REMIS EN CAUSE UNE FOIS IL POURRAIT L'ÊTRE EN D'AUTRES OCCASIONS

permettant d'expliquer sa préservation. Les discussions se poursuivirent pendant des années. Puis j'ai trouvé ce que je crois être la réponse. Elle repose sur l'idée de Richard Feynman selon laquelle il y aurait, au lieu d'une histoire, plusieurs histoires différentes possibles, chacune d'entre elles avec sa propre probabilité. Ici, nous avons deux histoires. Dans l'une, il y a un trou noir, dans lequel les particules peuvent tomber ; dans l'autre, il n'y a pas de trou noir.

De l'extérieur, on ne peut savoir avec certitude s'il y a un trou noir ou non. Il y a donc toujours une possibilité qu'il n'y ait pas de trou noir. Cette possibilité est suffisante pour préserver l'information, mais cette dernière n'est pas restituée sous une forme très utile. Un peu comme si l'on brûlait une encyclopédie. L'information n'est pas perdue si vous recueillez la fumée et les cendres, mais la lecture est moins facile. J'avais

RICHARD FEYNMAN

ÊTRE OU NE PAS ÊTRE ?

MMM, PAS
FACILE À LIRE…
ENCYCLOPÉDIE
L'INFORMATION
N'EST PAS PERDUE,
SI VOUS CONSERVEZ
TOUTE LA FUMÉE
ET TOUTES LES CENDRES

**parié avec Kip Thorne contre un autre physicien, John Preskill, que l'information était perdue dans un trou noir. Lorsque j'ai découvert comment l'information était préservée, j'ai honoré mon pari et j'ai offert une encyclopédie à John Preskill. Peut-être aurais-je dû lui donner seulement les cendres…**

D.S. En théorie, et dans une conception purement déterministe de l'Univers, vous pouvez brûler une encyclopédie et la reconstituer ensuite, à condition de connaître les caractéristiques et les positions de chaque atome constituant chaque molécule d'encre et de papier et d'avoir pisté chacun d'eux à tout moment.

S.H. **En ce moment je travaille, avec mon collègue de Cambridge Malcolm Perry et Andrew Strominger de l'université Harvard, sur une**

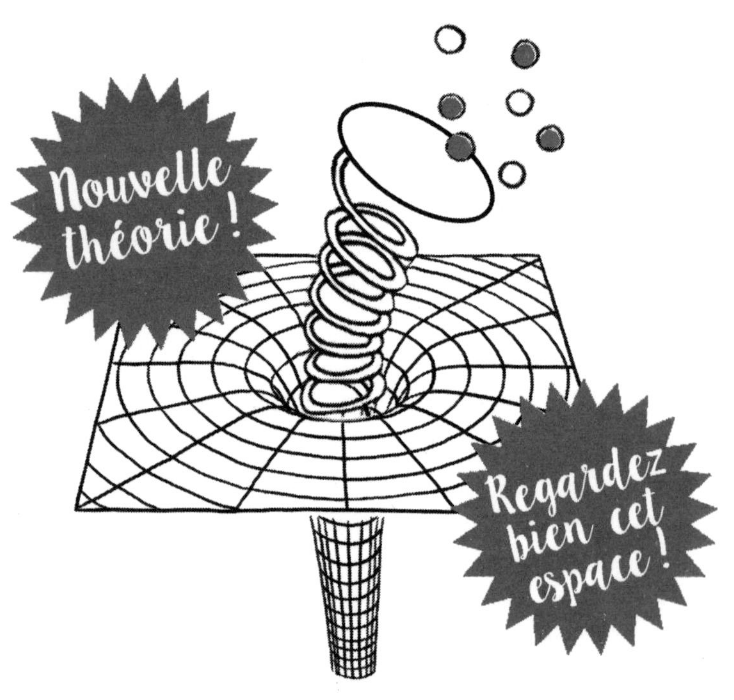


# LES SUPERTRANSLATIONS

EXPLIQUENT LE MÉCANISME
VIA LEQUEL L'INFORMATION
EST RENVOYÉE PAR LE TROU NOIR

**nouvelle théorie. Elle est fondée sur une idée mathématique nommée supertranslations, et vise à expliquer le mécanisme qui permet à l'information d'être préservée. Selon notre théorie, l'information serait encodée sur l'horizon des événements du trou noir. Affaire à suivre !**

D.S. Depuis l'enregistrement de ces conférences, le Professeur Hawking et ses collègues ont publié un article qui présente des arguments mathématiques en faveur d'un stockage de l'information sur l'horizon des événements. L'information serait transformée en un hologramme bidimensionnel au cours d'un processus nommé supertranslation. L'article, intitulé « Soft Hair on Black Holes », « Des cheveux mous sur les trous noirs », offre un aperçu extrêmement révélateur du langage ésotérique employé par les spécialistes – le résumé est reproduit à la suite de ce texte afin

JE NE VAIS PAS TENTER L'AVENTURE
HAWK

que vous puissiez en juger par vous-même – et du défi auquel les scientifiques sont confrontés.

S.H. **Cela a-t-il des conséquences sur la possibilité de tomber dans un trou noir et d'en sortir dans un autre Univers ? L'existence d'histoires alternatives avec et sans trou noir suggère que cela pourrait être possible. Le trou devrait être suffisamment grand, et s'il était en rotation, il pourrait y avoir un passage vers un autre Univers. Mais vous ne pourriez jamais en revenir. Alors, même si les voyages interstellaires me passionnent, je ne vais pas m'y essayer.**

D.S. Si un trou noir est en rotation, son cœur pourrait ne pas consister en une singularité, entendue comme un point infiniment dense. Il pourrait s'agir d'une singularité en forme d'anneau. Cela ouvre la porte à des spéculations sur la

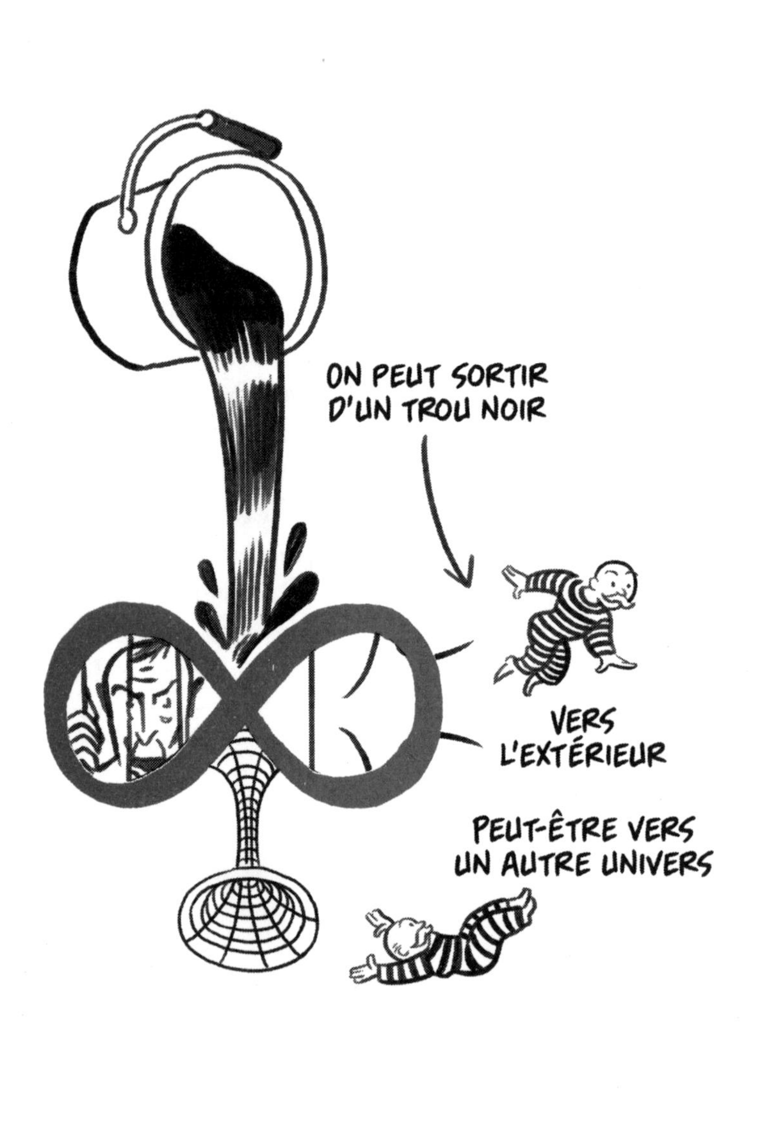
ON PEUT SORTIR
D'UN TROU NOIR
VERS
L'EXTÉRIEUR
PEUT-ÊTRE VERS
UN AUTRE UNIVERS

possibilité d'un voyage à l'intérieur du trou noir, ce qui signifierait quitter l'Univers que nous connaissons. Stephen Hawking conclut sur une idée captivante : il pourrait peut-être y avoir quelque chose de l'autre côté.

S.H. **Mon message, ici et maintenant, c'est que les trous noirs ne sont pas aussi noirs qu'on les dépeint. Ce ne sont pas les prisons éternelles qu'on a décrites. Des choses peuvent sortir d'un trou noir, dans notre Univers et peut-être dans d'autres. Donc, si vous sentez que vous êtes dans un trou noir, ne perdez pas espoir : il y a un moyen d'en sortir !**

# ANNEXES

arXiv:1601.00921v1 [hep-th] 5 Jan 2016

# Soft Hair on Black Holes

Stephen W. Hawking[†], Malcolm J. Perry[†] and Andrew Strominger[*]

[†] *DAMTP, Centre for Mathematical Sciences,*
*University of Cambridge, Cambridge, CB3 0WA UK*
[*] *Center for the Fundamental Laws of Nature,*
*Harvard University, Cambridge, MA 02138, USA*

**Abstract**

It has recently been shown that BMS supertranslation symmetries imply an infinite number of conservation laws for all gravitational theories in asymptotically Minkowskian spacetimes. These laws require black holes to carry a large amount of soft (*i.e.* zero-energy) supertranslation hair. The presence of a Maxwell field similarly implies soft electric hair. This paper gives an explicit description of soft hair in terms of soft gravitons or photons on the black hole horizon, and shows that complete information about their quantum state is stored on a holographic plate at the future boundary of the horizon. Charge conservation is used to give an infinite number of exact relations between the evaporation products of black holes which have different soft hair but are otherwise identical. It is further argued that soft hair which is spatially localized to much less than a Planck length cannot be excited in a physically realizable process, giving an effective number of soft degrees of freedom proportional to the horizon area in Planck units.

# DES CHEVEUX MOUS SUR LES TROUS NOIRS

Il a été récemment démontré que les symétries des supertranslations BMS impliquent un nombre infini de lois de conservation pour toutes les théories gravitationnelles dans des espaces-temps asymptotiquement minkowskiens. Ces lois exigent que les trous noirs possèdent une quantité importante de « cheveux mous » – ou *soft hair* – (c'est-à-dire à énergie zéro) de supertranslation. La présence d'un champ de Maxwell implique de façon similaire des cheveux mous électriques. Cet article donne une description explicite des cheveux en termes de gravitons et de photons sur l'horizon du trou noir, et montre que l'information complète sur leur état quantique est stockée sur une surface holographique à la frontière future de l'horizon. La conservation de la charge est utilisée pour donner un nombre infini de relations exactes entre les produits de l'évaporation des trous noirs, qui ont des cheveux mous différents, mais qui sont identiques autrement. On déduit par ailleurs qu'un cheveu mou localisé à une échelle beaucoup plus petite que celle de Planck ne peut être excité par un processus physiquement réalisable, donnant un nombre effectif de degrés de liberté mous proportionnel à la surface de l'horizon en unités de Planck.

# QUI EST STEPHEN HAWKING ?

En 1963, on diagnostique à l'étudiant de Cambridge de vingt et un ans une grave maladie neurologique, qui lui laisserait deux ans à vivre. Contre toute attente, Stephen Hawking poursuit brillamment ses recherches au Gonville and Caius College et occupe pendant trente ans la chaire de professeur lucasien de mathématiques et de physique théorique, qui était celle d'Isaac Newton en 1663. Le professeur Hawking est actuellement directeur de recherche au Centre pour la cosmologie théorique de l'université de Cambridge. Titulaire de plus d'une douzaine de récompenses honorifiques, il a été nommé Companion of Honour en 1989. Il est également membre de la Royal Society et de la National Academy of Science américaine.

Stephen Hawking est l'auteur d'*Une brève histoire du temps*, un best-seller international. Parmi ses autres ouvrages destinés au non-spécialiste, citons *Une belle histoire du temps*, *Trous noirs et bébés univers*, *L'Univers dans une coquille de noix* et *Y a-t-il un grand architecte dans l'Univers ?* Il vit à Cambridge.

DAVID SHUKMAN est rédacteur en chef de la section scientifique de BBC News. Spécialisé depuis 2003 dans le domaine de la science et de l'environnement, il a couvert des événements tels que le lancement de la dernière navette spatiale américaine ou les découvertes faites au Grand collisionneur de hadrons. David Shukman contribue régulièrement au programme de la BBC *News at Ten*, et a écrit plusieurs livres.

# SI VOUS AVEZ ENVIE DE LIRE D'AUTRES LIVRES DE STEPHEN HAWKING…

*Une brève histoire du temps : du Big Bang aux trous noirs*

Le best-seller unanimement salué du professeur Hawking commence par retracer les grandes théories du cosmos, de Newton à Einstein, avant de nous faire découvrir les secrets enfouis au cœur de l'espace et du temps – du Big Bang aux trous noirs, en passant par les galaxies spirales et la théorie des cordes. Publié en 1988, *Une brève histoire du temps* reste un ouvrage incontournable dans le domaine de la vulgarisation scientifique. Son langage simple et accessible continue à introduire des millions de personnes aux merveilles de l'Univers.

### *Trous noirs et bébés univers*

Ce premier recueil d'essais aborde des sujets qui vont du plus personnel au plus scientifique. Stephen Hawking y apparaît comme un scientifique, un homme, un citoyen du monde engagé et, comme toujours, comme un penseur rigoureux et imaginatif. Qu'il se souvienne de son entrée en maternelle, qu'il fustige l'arrogance de ceux qui pensent que la science ne peut être comprise et n'appartient qu'aux scientifiques, qu'il explore les origines et le futur de l'Univers, ou encore qu'il réfléchisse au succès d'*Une brève histoire du temps*, la plume de Stephen Hawking est directe, claire et pleine d'esprit, ces qualités qui ont fait de lui l'un des plus grands communicateurs de notre temps.

*L'Univers dans une coquille de noix*

Ce livre abondamment illustré nous guide jusqu'aux derniers développements de la physique théorique, là où la réalité dépasse souvent la fiction. Stephen Hawking se penche sur les découvertes les plus importantes des dix années qui ont suivi la publication d'*Une brève histoire du temps*, de la supergravité à la supersymétrie, de la théorie quantique à théorie M, en passant par l'holographie et la dualité. Tout au long de cette aventure intellectuelle passionnante, il tente de « combiner la théorie de la relativité générale d'Einstein et le concept d'histoires multiples de Richard Feynman, à la poursuite d'une théorie unifiée qui décrirait tout ce qui advient dans l'Univers ».

*Y a-t-il un grand architecte dans l'Univers ?* (avec Leonard Mlodinow)

Quand et comment l'Univers a-t-il commencé ? Pourquoi existons-nous ? L'ordre apparent de notre Univers est-il la preuve de l'existence d'un Créateur bienveillant ? Ou la science peut-elle fournir une autre explication ? Cet ouvrage écrit en collaboration avec le physicien et écrivain américain Leonard Mlodinow présente l'état des réflexions scientifiques sur les mystères de l'Univers, dans une langue à la fois brillante et accessible. Réalisme modèle-dépendant, multivers, théorie M, autant de concepts abordés dans cet ouvrage illustré étonnant, qui nous guide parmi les découvertes qui font vaciller notre compréhension et menacent quelques-unes de nos convictions les plus solidement ancrées.

# TABLE

Mise en pages par
Pixellence/Meta-systems
59100 Roubaix

Cet ouvrage a été achevé d'imprimer en septembre 2018
dans les ateliers de Normandie Roto Impression s.a.s.
61250 Lonrai
N° d'impression : 1803701
N° d'édition : L.01EHBN000856.A011
Dépôt légal : octobre 2016

*Imprimé en France*